D1178178

Reinaldo Arenas

ARTURO, LA ESTRELLA MAS BRILLANTE

Reinaldo Arenas

ARTURO, LA ESTRELLA MAS BRILLANTE

MONTESINOS

Visio Tundali/Contemporáneos

Edición propiedad de Montesinos Editor, S. A.
Ronda San Pedro, 11, 6 º - 08010 - Barcelona
Diseño de la cubierta: Javier Aceytuno
ISBN: 84-85859-96-0
Depósito Legal: B. 41658 - 1984
Imprime: Imprimeix. Eduard Maristany, 100. Badalona (Barcelona)
Impreso en España
Printed in Spain

A Nelson, en el aire.

"He visto un lugar remotísimo habitado por elefantes regios", había escrito hacía unos años, no muchos, cuando aún pensaba que un grupo de signos, que la cadencia de unas imágenes adecuadamente descritas, que las palabras, podrían salvarlo... y ahora hizo descender los elefantes y depositó sus grandes figuras palpables y apacibles al final de la extensa llanura, donde comenzaba su gran obra; porque si era cierto que ya antes se había ejercitado, si desde hacía mucho tiempo no desperdiciaba un solo minuto libre sin dedicárselo a la construcción de un árbol gigantesco, de una piedra de matices cambiantes, de unas aguas sin centinelas, de un rostro, era ahora realmente cuando todos esos esfuerzos tomaban una coherencia suprema, se encaminaban hacia un fin perfecto y ordenado, único y grandioso; así se orientaban misteriosamente las ideas, llegaban, eran seleccionadas, eran rechazadas las imágenes simples o repetidas, feas o tristes que diariamente tenía que contemplar y que seguramente ellos, los otros, los demás, todos, se las lanzaban contra su memoria o su ilusión, siempre para joder, siempre para joder, queriéndole estropear su obra, queriendo interrumpirlo, queriendo confundirlo y perderlo, reducirlo, enmarcarlo a sus estúpidos razonamientos, a sus mezquinas concepciones, al mundo, a su mundo (el mundo de ellos), a la vida, a sus asquerosas vidas; pero todos sus razonamientos, todas sus fuerzas y hasta sus gestos, todo su organismo y sus intenciones, todos sus sentidos estaban tensos, limpios, alertas, listos, dispuestos a asimilar y a rechazar, a aprovechar y transformar, a sacrificar, en función de la gran obra que por ellos fluía; y ya él sentía de nuevo, de nuevo, aquel escozor nunca antes (antes) sentido y sin embargo, sin saber por qué, conocido, era un cosquilleo, una pululación, era como si de pronto lo estuviesen levantando, lo alzasen, flotase (otra vez, otra vez), y en ese espacio sin atmósfera, él ascendía, él ascendía, ascendía conducido, liberado por los impulsos de su genio que él veía adquirir dimensiones tales, destrezas tales que ya parecía que se hubiese independizado del resto de su ser, de su organismo, de sus instrumentos necesarios para manifestarse, de, incluso, su propio cerebro; era como si alguien, él mismo, pero no él, estuviese haciendo gestos inconcebibles, provocando un llanto, una alegría, una plenitud, desgranando ante un auditorio sin tiempo un ritmo, una canción, una melodía, la única, la exquisita, la que todos siempre habían soñado, habían esperado secretamente aterrorizados y felices, y él se veía otorgando aquellas maravillas, el viéndolo a *él*... y tuvo casi terror al pensar que también él podría ser un instrumento, un simple artefacto, y que la gran melodía, la gran creación, la obra, surgía, surgiría, estaba allí, inexorable, y que sencillamente lo utilizaba, como pudo haber utilizado a cualquier otro, como utilizaba también a sus intérpretes, a los que contemplaban, para situarse, para manifestarse, para dar testimonio, de tiempo en tiempo, de una invariable, inexpugnable, eternidad, ahora, en este preciso momento, valiéndose de un sencillo, ignorante, mensajero, que el excesivo espanto, y también el azar, habían determinado que fuese él... y secretamente sintió que aún en el momento más sublime de su existencia, el momento que la justificaba, aún entonces, aún ahora, seguía siendo víctima de una estafa, era un esclavo; pero acaso, ¿no podrían ser ellos quienes ahora se empecinasen con su típica tenacidad malévola, única tenacidad auténticamente humana, en introducir en su cerebro aquellas maquinaciones? ellos, con sus infinitas conversaciones inútiles, ellos con sus gestos excesivamente afeminados, artificiales, grotescos, ellos rebajándolo todo, corrompiéndolo todo, hasta la auténtica furia del que padece el terror, hasta el abusado ritual de las patadas, los culatazos en las nalgas, las bofetadas; hasta la ceremonia de un fusilamiento se convertía, se transformaba para ellos en un ajetreo de palabras rebuscadas, de poses y chistes de ocasión; ellos, reduciendo la dimensión de la tragedia, de la eterna tragedia del sometimiento, de su eterna desgracia, a la simple estridencia de un barullo, enarbolando el choteo, la risa, el marcado aleteo de las pestañas, la mueca, la mano como ala, la parodia vulgar de alguna danza clásica; ellos pintándose el rostro con lo que apareciese, improvisando pelucas con flecos de yagua y hojas de maguey, remedando minifaldas con sacos de yute hábilmente sustraidos de los almacenes custodiados, y en la noche confundiendo sus insatisfacciones, chillando, soltando su estúpida jeringonza, sus estúpidos ademanes exhibicionistas, sus máscaras que ya de tanto usarlas habían pasado a ser sus propios rostros... ¿quién, allí, por unos instantes se detenía y pensaba?, ¿quién aprovechaba las cada vez más escasas oportunidades para salir corriendo, para huir?... gracias pues a ellos (a "ellas") había elegido hacerse superior, o tambien podían ser los otros (había establecido tres categorías: *ellos*, *los otros* y *los demás*), los otros, los que están después de ellos, los que vigilan, los que se consideran superiores, elegidos, puros, los que se vanaglorian, sin ser excesivamente cierto, de no haber tenido, de no tener relaciones más que con hembras, jebas de grandes tetas, así, así, mujeres de grutas supurantes, bollos que al ser penetrados y dar testimonio público del acontecimiento, los otros y también los demás (todos extremadamente exhibicionistas) les otorgaban como un voto de confianza, un puesto más elevado y el privilegio de ofender; sí, también podían haber sido los otros, los superiores, los de uniforme, los que ahora tienen el mando, las armas, una misma jerga (otra jerga también aborrecible), y el transporte y todos los jepps, automóviles, camiones, guaguas y motocicletas verdes, igual que sus ropas, podían haber sido ésos, los jefes, o los delegados de los jefes, peores, los que violentos se rascaban los testículos y les gritaba a ellos "maricones, corran", los que lo hubiesen conminado a elegir hacerse superior, Dios; y también la inutilidad de todos los esfuerzos anteriormente ensayados, de todos los inútiles y desesperados artificios para sobrevivir, habían agudizado su poder de selección, de olfato, su miedo, y ahora, no cabía duda, había llegado el momento de la gran identificación, del verdadero encuentro, y todo el agobio y el sinsentido de una existencia superficial primero, esclavizada después, inútil siempre, se borraba, terminaba, ante aquella inmensa explanada donde él había terminado ya de situar los elefantes y ahora configuraba un rosal, pues lo real, se dijo, o intuyó, esparciendo un gajo, oscureciendo un follaje, creando un nuevo matiz, no está en el terror que se padece sino en las invenciones que lo borran, pues ellas son más fuertes, más reales, que el mismo terror... aún no había nadie, no llegaba nadie, nadie lo había aún descubierto, no se escuchaban las voces de las maricas en las celdas, o en el barracón o en el campo de trabajo, las afectadas voces siempre delatando, llamando, tratando de impedir que él finalizase alguna construcción urgente –un parasol irrepetible, algún recodo único–, tampoco los soldados lo buscaban todavía, pensó que tendría tiempo, que tenía el tiempo; en otras ocasiones alguien, un intruso, nunca *él*, el que esperaba, llegaba antes de que él pudiera terminar un ventanal o darle color a las aguas de un río, pero ahora, hoy, había sabido elegir el lugar, había sabido escaparse, correr sin ser visto, había sabido burlar la guardia, abandonar el campo y situarse, instalarse, no como antes: cerca y por poco tiempo, sino lejos y solo, independiente, solo hasta que *él*, el exquisito, llegara, solo solamente hasta que terminase la gran construcción para que *él*, el exquisito, se quedara finalmente; había sabido elegir el sitio, huir, y, por ahora, era imposible que ellos, y los otros e inclusive los demás, los que estaban en distinto infierno, en pueblos y ciudades, y vestidos de civil caminaban bovinos, temerosos y casi agradecidos por las aceras custodiadas, la inmensa mayoría, pudiesen llegar a molestarlo, y tenía tiempo; de modo que de haberlo querido, Arturo hubiese podido otorgarse a sí mismo el bíblico lujo de un descanso antes de continuar su fabulosa creación... pero no había tiempo que perder, y allá, cerca de los elefantes, hizo surgir grandes columnas que soportarían jardines y elevados salones donde él y *él* habrían de pasearse... lejos, un pequeño sendero, escoltado por yerbas amarillas se deshace en la arena y es el mar, el mar y la playa que se comunicarán con el castillo por túneles y pasadizos enlosados y húmedos, luego altas veredas invadidas por el perenne efluvio de las flores, y al construir sobre aquellas arenas la gran escalinata que conduciría a los miradores del traspatio real, Arturo sonrió... al principio todo había sido tan horrible, todo era tan claro y grotesco, tan evidentemente intolerable, las relaciones con aquellos maricones presos ("maricones como tú," le gritaban ellos), la hora de la comida, la terrible hora del baño y el trabajo al sol, las interminables jornadas en el cañaveral cortando, mientras a un extremo de la guardarraya, el soldado, impasible, sobrio, seguro, superior, allí plantado al parecer para la eternidad, sin dejar de observar y de vigilar, de vigilarlo a él, a Arturo, se rascaba lentamente los cojones, en homenaje a él, a Arturo, y él, empapado, sin dejar de manejar el machete, sus pies provocando remolinos de fuego al pisar, al hacer crujir, al hundirse y hacer crepitar las hojas secas, miraba rápido aquella figura fuerte, plantada e impasible que seguía repitiendo, como inconsciente, instintivamente, como para nadie, como sin ninguna intención o finalidad, el ineludible ademán, y los pies en el torbellino, crujiendo, y el sol reverberando sobre la plantación, y el golpe seco de su guámpara, de todas las guámparas, abriendo, cortando, mientras el sudor rodaba por el cuerpo, entonces, Arturo trataba de entregarse sólo al crujido, a los golpes bajo el sol, a las largas disquisiciones sobre si hoy traerán o no el agua, y a la fija mirada y al irresistible gesto del soldado, convertirse, ser como ellos, ser sólo un animal manso o agresivo por las cosas más insignificantes, ya sin recuerdos ni esperanzas para las cosas importantes (¿qué es, qué era realmente importante ya?), habitando un presente superficial y conminatorio

–pasando, pasando–, pero por mucho que se aplicase a éstos infiernos, siempre le llegaba en medio del estruendo de cucharas y platos de lata o restallando en la claridad y el meneo, el rumor bajo y acompasado de una mata de ceiba, de la mata de ceiba, aquel mar... otras veces, al remover la tierra para extraer una caña doblada, Arturo sentía el olor de la mata de cerezas, allá, en primavera, subiéndole hasta el rostro; la humedad, el brillo de las hojas, a veces un pequeño, diminuto, casi invisible insecto de coraza púrpura, de insólitas antenas violetas, lo trasladaba, lo transportaba y depositaba en el sitio donde confluían y partían todas las memorias, todos los olores y sonidos y cuerpos disfrutados, todo lo que antes, al ser, no había sido más que un acontecimiento cotidiano, un acto natural inconscientemente ejecutado a veces casi con hastío que se cubría ahora de un esplendor, de una gracia, de una belleza, de un don, que la distancia se encargaba de amparar, agrandando... no había salida, y por mucho que tratase de cambiar, de aceptar, de estar allí, aquí, en el nuevo infierno: detrás de un tanque vacío, detrás de una carreta, en el camino donde el resplandor forma espejismos chillones, junto a un fanguero, en la distancia, él creía distinguir el extremo de un gran corredor, y por las mañanas, al despertar, siempre confundía por unos instantes la jeringonza de los cocineros del barracón con la voz insustituible de la madre; pero siguió aplicándose al trabajo, entrando, como todos, en el baño a la hora reglamentaria, parodiando las ridículas letras de las canciones populares declamadas por todos ellos, y en la barraca, a la hora de gritar, así, con voz de soprano histérica, era él quien más alto lo hacía, a la hora de modelar en las fiestas prohibidas y perseguidas por los soldados que participaban en las mismas como entusiastas espectadores, era él, ya, quien llevaba siempre la falda más escandalosa, quien más se pintarrajeaba, quien ostentaba la peluca más estrambótica, y quien cantaba al final el cuplé más provocativo con su evidente sentido obsceno reforzado por ademanes, pestañeos, miradas y visajes, y luego de la fiesta, el mismo soldado que lo vigilaba en el corte le otorgaba el mismo gesto, y los dos se adentraban en el cañaveral; Arturo se dedicaba minuciosamente a provocarle el placer, y sin embargo, aún cuando sentía la violencia y el goce de aquel cuerpo desahogándose en su cuerpo, en su memoria no alcanzaba a nublarse la enredadera del corredor ni las reverberaciones y hasta el perfume de sus millones de flores instalándose en el techo de la casa.... había un funeral, había un funeral,y él, vestido de blanco, delante, presidiendo la comitiva; el solo detrás del carro negro que gracias a la influencia de su hermano Armando pudo llegar hasta aquel sitio, y ahora recordaba minuciosamente todo aquello y aun era más real que en el momento en que sucedió pues ya el acontecimiento no estaba contaminado por los incidentes del momento, por su actitud inmadura y exhibicionista –todo de blanco, todo de blanco–, sino por el hecho esencial puramente evocado, vuelto a padecer, libre de escorias; seguía caminando tras aquel artefacto brillante que transportaba los restos chamuscados, aquella especie de horcón tiznado, de la única persona que lo había querido hasta el punto de haberle dado muerte de no haber sido por un error de cálculo y el mal estado del arma; el carro fúnebre siguió avanzando y él serio, ridículo y triste, suficientemente lúcido, gracias a la tristeza, para comprender que habitaba el infierno, y que no había otra cosa; pero aún entonces, pero aún entonces, quedaban los árboles, algún refugio, los demás, y, luego, estar solo, disfrutar de la soledad, aunque ya supiera, aunque ya supiera... el soldado, como siempre, culminó con un resoplido, y como siempre, retirando el cuerpo le dijo espera, no salgas hasta que yo no haya entrado en el campamento... parques, tenía que haber parques, parques inmensos y sombreados replegándose hasta el horizonte, parques donde por las tardes el sol proyectase las esbeltas siluetas de las palmas fragmentándose en las fuentes cuyas líquidas exhalaciones formarían siempre incesantes contornos, de modo que quien las viera de lejos podría descubrir en ellas cualquier figura anhelada, parques rodeados de canteros, montículos olorosos, senderos que bien podrían no conducir a sitio alguno, árboles gigantescos de raíces aéreas que formarían vastas techumbres donde *él*, el otro, seguramente se detendría a esperarlo, parques con recodos donde hay un banco y un árbol mustio que serviría en las tardes en que para mantener el equilibrio nos hace falta un poco de melancolía, y toda la explanada se fue cubriendo de aquellas extensiones rumorosas, y espejeantes... el carro fúnebre siguió avanzando, y él, detrás, y detrás los hermanos (y luego los pocos campesinos que se atrevieron a acompañar a la Vieja Rosa en su ultimo viaje); inmediatamente que regresaron abandonaron el barrio, Armando dispuso de su traslado, el de Arturo, para el pueblo, de su albergue en un sitio adecuado, de su vida y de su futuro, todo esto sin mirarlo de frente, con un aire de superioridad, de indiferencia, de desprecio o de asco; Rosa lo había abrazado varias veces, pero no era a él a quien había abrazado, no era que lo abrazase por ser él, Arturo, sino por ser el único que en esos momentos estaba disponible y se podía abrazar justificadamente; Armando se perdía ya por las cooperativas y El Negro, como le decían todos al marido de Rosa, parecía siempre estar furioso y como huyéndoles –sobre todo a las miradas recriminatorias y ofendidas de los campesinos–; y Arturo dejó que la hermana pusiese su cabeza entre sus hombros y lo llamase por su nombre, y llorara, y dejó que el hermano lo conduciese a una "pensión de familia" (así decía el letrero), y le diese dinero, y lo matriculase en una escuela y le ordenara y lo despreciara, aunque, realmente, al principio, entonces, el cambio había sido tan violento que a Arturo le fue imposible tener conciencia del mismo; al principio, igual que acá, igual que ahora, no era el estruendo de los vehículos lo que lo despertaba, sino el chasquido de la roldana manejada por ella, La Vieja Rosa, allá abajo, junto al pozo, pero poco a poco descubrió que es fácil integrarse a cualquier realidad siempre que no se tome en serio, siempre que secretamente se desprecie, y que en cualquier sitio hay oportunidad para perderse... un pino de navidad, uno de esos grandes pinos que sólo crecen en las regiones que él nunca conocería, en climas (así lo creía él) hechos para hablar y pasearse lentamente, en los climas (así lo creía él) hechos para la sonrisa y no para el sudor, en los grandes climas donde (de eso estaba seguro) las nobles, las bellas cosas germinaban y crecían progresivamente; y el pino gigantesco, de sedosos filamentos, se irguió en la explanada –más adelante él y *él* adornarían sus ramas, danzarían bajo el follaje... su primer refugio fueron las bibliotecas, por eso, seguramente, su primer consuelo, su primera estratagema, fueron las palabras; extasiado se paseaba por las galerías repletas de estantes repletos, estiraba una mano y extraía un libro; nunca lectura alguna superó aquel momento, el placer de aquel momento, el misterio de aquel momento en que la mano tomaba el libro seleccionado pero aún sin abrir; poco a poco fue integrándose, confundiéndose, dejándose llevar por el nuevo ambiente; allí, en el salón de música de la biblioteca, había un grupo de maricas jóvenes, siempre como en actitud de alerta, que en cuanto lo vieron quisieron captarlo, Arturo, al principio se resistió refugiándose en los estantes, o haciéndose el desconcertado los evadía, pero alguien, pero algo por encima de sus gestos, por encima de sus defensas y de sus huidas lo traicionaba o sencillamente se imponía como su verdadera condición: como ellos, como ellos; como ellos, como nosotros, le decían también ellos, e, inevitablemente, fue como ellos: las largas madrugadas por los lugares más insólitos de una ciudad hacia las ruinas llegaron; sí, aún había cabarets, cafeterías, algunas fiestas, hasta hubo un carnaval, pero Arturo notaba que casi todos hablaban en pasado y quizás lo que más le sorprendía (y hasta le fascinaba) dentro de aquel torbellino de aventuras inconclusas, de conversaciones, de encuentros y relaciones inconclusas, era el ver la rapidez con que todo, hasta las mismas calles, hasta los mismos rostros, hasta el tiempo, se iba deteriorando, cuarteando, rompiendo, erosionando día tras día y cada vez más, una semana era un cine cerrado, otra, otro producto racionado, otra, un establecimiento clausurado, en un mismo día todos los árboles de la calle talados sin explicaciones, sin contar con nadie, y la claridad que descendía a la vez que faltaba el agua, y la claridad que también se iba haciendo cada día más claridad, pues, al principio ¿había esa horrible luz filtrándose por la ventana de su cuarto?, ¿al principio había ese cielo desgarradoramente claro, ese sol insolente, aquellos mediodías?, ¿no eran entonces, antes, las tardes un poco más lentas, menos sofocantes?, ¿no era la gente un poco más silenciosa?, ¿no tuvo a veces el oscurecer?; algo se pudría, algo, indiscutiblemente, se había corrompido y se pudría, ¿algo?, ¡todo!, todo se pudría, algo en las innumerables madrugadas inútiles, ya de regreso, después de haber tenido algún encuentro furtivo, rápido e incompleto a la entrada de una escalera, en peligrosos zaguanes, en el baño de un solar al parecer deshabitado, algo le decía que todo se estaba pudriendo, y también tu vida, y también tu juventud y también todos, todo; y la claridad, aún en la oscuridad, y el miedo, subían, subían... pero la madre, alta, autoritaria, firme, estaba allí, vigilando en la sombra, en la poca sombra, ordenando, mencionándolo, ayudándole a desvestirse, la madre tendiéndole la cama, ¿acunándole?, ¿cantándole?, como nunca antes, como nunca antes, ¿estaba? ¿no estaba?, ¿estaba?, y se dormía, finalmente, presintiéndola... ¿pero no eran necesarios diques? ¿grandes y sólidos embalses, elevados diques a un costado de sus extensas regiones?, altos diques que culminaran en altos pasadizos protegidos por varandales, junto a los cuales, ellos, los dos, abrazados, se asomarían al abismo, diques donde aguas verdosas y profundas golpearían siempre; y a un costado de la gran explanada levantó los diques, y las aguas al fluir sobrepasaban en hecatombe serena los amplios bordes permitiendo que sobre ellas reposasen grandes flores lujosas, blancas, abiertas como sombrillas al revés... esa noche, o aquella noche, o una noche, o la noche, hubo un concierto, milagrosamente anunciaron el acontecimiento (el pianista era soviético) y todas las maricas desde por la tarde comenzaron a preparar sus atuendos, Arturo también participó en aquellas ceremonias; media hora antes de comenzar la función entraron en la platea del teatro, Arturo vio las espaldas de los jóvenes, firmes y amplias, seguras e instaladas, distintas a las de los que lo acompañaban a él, a la suya misma, espaldas, cuerpos manos que se ubicaban simples y firmemente, al amparo de una seguridad, de una tradición, de una ley, que a él, a ellos, los excluía, las mujeres exhibían unos rostros blancos, casi dulces, insólitos para nuestro clima, y todos parecían fluir bajo las discretas luces que iluminaban desde el techo; ocuparon sus sitios, tranquilos, como transformados, finalmente la iluminación fue disminuyendo, los amigos en torno a Arturo controlaron sus revuelos y las cortinas del teatro se descorrieron para hacer visible la orquesta con su director; lentamente la música comenzó a invadir el recinto, la música colmó los espacios y el tiempo cubriendo de nobleza, de un raro prestigio, los cuellos de los espectadores, la música parecía rozar sus manos, fluir lenta por su cuerpo, alzarlo, llevarlo a un sitio, a otro; la música tomó a Arturo suavemente, lo sacó de la silla y apaciblemente, descorriendo los cortinajes, los depositó junto a una torre, en un cantero, en una tarde, junto a la mata de pensamiento chino y la zarzarosa florecida del jardín junto al corredor, la música... antes Arturo había visto a su madre apuntarle al pecho, segura de lo que hacía, y no había llorado, antes había sido abandonado en medio del monte por su amigo aterrorizado, y había regresado a la casa y sólo había encontrado las cenizas y el cuerpo de la madre carbonizado, y no había llorado, había, había conocido el desprecio (la indiferencia) de sus hermanos, el desprecio y la indiferencia de todos los que obligatoriamente se veía obligado a saludar, antes había conocido también la angustia de las chillonas habitaciones de las casas de huéspedes, la desesperación y los deseos luego de toda una noche de inútil vagabundear por la ciudad, antes había tenido ya la desesperada (precoz), lúcida certeza de que comenzaba a envejecer y de que lo mejor de su juventud se perdía, antes había tenido ya la visión, por lo demás exacta, de que si el mundo en general era terrible, para él era una prisión estricta y asfixiante que se reducía cada día, una descomunal estafa, un terror incesante, pero no había llorado, y era ahora, aquí en medio de toda aquella muchedumbre apacible y fluyendo, escuchando, cuando, de súbito, comenzaron a brotarle las lágrimas, y sintió su rostro bañado ya, y sintió también, y sintió también que nada podía hacer para evitarlo, y sintió también que era casi dichoso, roldanas, andurriales, papagayos, techumbres artesonadas, y, ante un mar estático un hombre que se desangra en la nieve y él salva... porque también hizo la nieve, la límpida nieve tan soñada, jamás vista, tantas veces remedada con algodones, espejos y ceniza, y ahora, allí, de pronto, en la explanada, limpia y palpable, la nieve para deslizarse, la nieve para revolcarse, la nieve blanquísima para que se reflejasen sus figuras, la nieve y sus infinitas sugerencias, y sus variados, imposibles, consuelos y recogimientos, la música, la música y él paseándose por varandales elevados y sólidos, exquisitamente trabajados, la música, la música y él investigando los recónditos recovecos de las flores gigantescas que en gigantes estanques flotan también más allá de la arboleda, la música y las lágrimas fluyendo, era ahora, era ahora también cuando tomaba conciencia de todas sus desgracias, era ahora cuando veía el cuerpo achicharrado, la casa, irrecuperable, esparciéndose en forma de remolino, la gran torre, y tambien la paz, era ahora cuando palpaba las dimensiones sin tiempo de una soledad fija, o quizás, así sería, cambiando sólo para adquirir proporciones más enormes y grotescas, la música, la música, transportandolo a parajes distantes, enalteciendo acontecimientos que cuando fueron (si es que fueron) no fueron más que meras acciones vulgares, la música y todo distante y noble, todo desgarradoramente irrecuperable, perdido, la música, el camino entre altos árboles polvorientos, la casa, la mansedumbre del paisaje, el fuego contra el cielo, un castillo, una bandada de pájaros fluyendo hacia la luna para ser devorados, y con ellos iba la madre, gigantesca, única y chisporroteante, batiendo sus brazos, ya empequeñeciendo... allí estaba la madre ahora, junto al gran corredor, entre los canteros y los itamorreales, aguardándolo; y los dos, como casi todas las tardes, salieron a recorrer las tierras, sus tierras; ese día los cogió la noche más allá del potrero, bajaron al río, abrevaron los caballos y luego subieron de nuevo; ninguno de los dos se apeó, Arturo oía a su madre hablando, hablando con él, con nadie, con las estrellas, o sobre las estrellas, sí, sobre la posición de las estrellas, si barruntaban lluvia o sequía, si habría posiblidades de siembra; de todas la más brillante es aquélla, decía la alta figura que ya formaba una sola silueta con el caballo, señalando para el lucero que chisporroteaba un poco más allá de los cerros, los dos se quedaron inmóviles, mirando aquellos destellos, luego, La Vieja Rosa, como siempre ordenó: *vamos para la casa*, y espoleó el caballo; el hijo detrás la seguía, la música, y ella, la alta figura, señalando, la música, y ella, la protectora figura, amada y amante figura, la única figura realmente venerable para él, diciendo *mira*, y en las atestadas y chillonas paradas de los ómnibus, en los polvorientos pueblos de la Isla por donde había pasado en un vehículo repleto y asfixiante –así eran todos los viajes–, atento siempre a las entrepiernas, a la más mínima señal, sabiendo que aun cuando lo consiguiera, que aun cuando uno de aquéllos aceptara, nada iba a cambiar, nada iba a resolver, ninguna paz, ninguna felicidad o reposo iba a encontrar, allí también surgía la imponente figura señalando hacia el cielo; en las aceras, en las esquinas repletas de policías o chantajistas oficiales, allí también señalando, en los urinarios públicos, en las ferias, en el peligro de las proposiciones sin haber realizado un preliminar sondeo, hasta en las audaces maniobras bajo el agua en las playas visitadas aún por rotundos y desenfadados bañistas, y hasta cuando con indolente, distraido gesto, dejaba caer la mano en la guagua atestada: allí estaba también la alta, respetable figura, y señalaba, quizás para burlarse, quizás para vengarse, para imponerse, hacia la estrella más brillante... fue mucho después, en su arrebatado tránsito por las estanterías de la biblioteca, a veces no precisamente detrás de un libro, cuando, por simple curiosidad, revisando las hojas de un ejemplar titulado *Astronomía para las damas*, Arturo descubrió, con ironía y tristeza, que aquella estrella, la que su madre llamaba el lucero de la tarde, o por otro nombre parecido, se llamaba, así lo decía el libro, *Arturo*; todo es tan ridículo, pensó furioso y malcolocó el libro, extremadamente cursi, en el estante; de pronto cesó el gran sonido, terminó el encantamiento, estallaron los aplausos, y se vio en el gran salón iluminado, rodeado de maricas sudorosas que de pie gritaban *¡bravo! ¡bravo!*, Arturo aprovechó el entusiasmo colectivo para secarse la cara, y luego que el director hizo varias apariciones y desapariciones, obligando a toda la orquesta a ponerse de pie, comenzaron a salir del teatro, los otros, entusiasmados, manejaban palabras como "fabuloso", "regio", "divino", pero Arturo no sabía qué opinar, al menos no sabía expresar ninguna opinión, incluso pensaba que hubiese sido mezquino hacer una interpretación, una síntesis, de lo que había escuchado, disfrutado, de lo que se le había revelado, aún cuando fuese, cosa difícil, una interpretación brillante; al llegar a la puerta de salida notaron cierta agitación, se oyeron gritos, alguien echó a correr, un disparo, sólo cuando ya era tarde, Arturo y sus amigos comprendieron que se trataba de una de las acostumbradas "recogidas" de jóvenes amparadas en el pretexto insólito de un pelo demasiado largo, de una forma de vestir determinada y, sobre todo, de ciertos rasgos, de ciertas "maneras"... uno a uno, a medida que trasponían la puerta iban siendo "seleccionados", detenidos; los amigos de Arturo fueron llamados aún primero que él mismo, gesticularon, protestaron, tratando de evadirse, utilizando ademanes y voces que evidentemente los condenaban ante los ojos de los otros, los policías; cuando fueron conducidos hasta el vehículo (un ómnibus custodiado), Arturo no protestó, ni siquiera dio señales de irritación cuando uno de los soldados hizo un chiste obsceno inspirado en sus cabellos que para el militar eran inmoralmente largos, tranquilo se dejó registrar y subió al vehículo repleto; cuando el motor se puso en marcha, cuando ya dejaban la ciudad rumbo a uno de los campos de trabajo, Arturo aún escuchaba aquella insólita melodía que lo transportaba, que lo elevaba, aguas, había que multiplicar las aguas, aguas en altos recipientes transparentes, en cúpulas de vidrio donde los pájaros, sin necesidad de descender, podrían beber, aguas en pailas gigantescas y elevadas, interiormente iluminadas donde se podría observar en cualquier momento las oscilaciones de un pez –o de miles– de configuración y colores exóticos, piscinas, fuentes, estuarios y acuarios, serpenteantes y centelleantes canales como espadas; y por todo el lugar aumentó la capacidad de las cisternas, desbordando fosos e invernaderos, solarios y termas reales, y monumentales copas dispuestas sobre árboles de anchas hojas; y cuando ya toda su obra estuviese terminada, después, después, agua cayendo en cascadas, paredes de agua, lluvias de colores, pilastras elevándose, aguas majestuosamente ondulantes y profundas donde él y *él* podrían navegar, y al oscurecer, todo dorado, todo dorado, regresar bogando por las puertas laterales, el gran puente levanta con precisión sus esclusas monumentales... antes de amanecer era dado el grito de "de pie" al que generalmente se le anexaba la palabra "maricones"; todos en menos de cinco minutos debían levantarse, vestirse, desayunar y estar listos para partir rumbo al campo de trabajo, ya en la guardarraya se distribuía "el personal" como decía el jefe de la brigada para no verse obligado a utilizar la palabra "hombres"; en el surco "el personal" sólo debía dedicar sus intenciones y fuerzas a un objetivo: cortar la caña; se le vigilaba, se le prohibía tomar agua, se le prohibía hablar con el compañero de surco, no podían dirigirse al superior sino a través de un delegado que los otros nombraban, luego, inmediatamente después del almuerzo que se consumía en el campo, había que seguir trabajando hasta el oscurecer, si llovía se trabajaba bajo el agua, si alguien manifestaba sentirse mal debía dejar su malestar para el momento oportuno, "nosotros no somos médicos", le gritaba el que hacía de enlace entre "el personal" y el jefe, pero al regreso sí se les permitía hablar, era entonces cuando comenzaba para Arturo su verdadero infierno; al principio trató de no tener relaciones con ellos, de seguir siendo él mismo, de aislarse, pero ellos comenzaron a tomar represalias: la tapia, la loca muro, la viuda triste, fueron los primeros nombres por los que se le llamó a Arturo en el campamento, la Esfinge, Madame Tapón; Arturo lo soportó todo en silencio y esto los enconó aún más a ellos, hasta los superiores, los jefes, los otros, aumentaban su desprecio ante aquel mariconcito que a pesar de su "debilidad" quería dárselas de persona decente; Arturo notó que a los otros, a los reponsables, les divertía el espectáculo de la burla, especialmente cuando se burlaban de él; luego ellos ("ellas", como les gustaba que le dijeran) pasaron al ataque físico, sin duda enfurecidos por la ineficacia del ataque oral: en el campo una piedra aterrizaba peligrosamente cerca del cuerpo de Arturo, en el camión una plasta de mierda de vaca estallaba contra su rostro, qué risa, qué chillidos afectados, qué de melindres compasivos, nadie había sido, y en el campamento una botella era lanzada desde cualquier punto hacia la litera de Arturo en el preciso instante en que se apagaban las luces, así, poco a poco, o quizás en un instante preciso, cuando una bota llegada de no se sabe dónde chocaba contra su rostro, Arturo comprendió que ellos, y los otros y los demás y todos, es decir la vulgaridad, la imbecilidad, el horror, no tolera la indiferencia; traición, robo, ofensa, muerte, todo podía pasar, y de hecho pasaba, pero lo que no se admitía era que no se contase a la hora de cometer el delito (antes y después) con la inmensa chusmería, que no se confiase en ella, que uno no se sometiese a ella... si quería sobrevivir tenía que adaptarse o fingir adaptarse como quizás hacían otros que ahora mismo lo atropellaban, tenía que hablar como ellos, tenía que reirse como ellos, tenía que hacer los mismos gestos que ellos, y Arturo manipuló aquella jerigonza afectada y delirante, comenzó a lanzar la típica carcajada de la loca histérica, cantar, modelar, pintarse los ojos y el pelo y los labios con lo que apareciese, hacerse grandes y azules ojeras, todo esto lo hizo él hasta dominar y adueñarse de todas las jergas y ademanes típicos del maricón prisionero, todo esto lo logró Arturo y aún más, con el tiempo llegó a destacarse tanto por su forma de mover las nalgas en *El Momento de la Danza,* por sus fogosas interpretaciones en *El Momento de la Canción*, por su exclusiva manera de pestañear, estirar el cuello y extender las manos en el momento de *Sea Usted la Modelo*, por sus audacias con las postas de las garitas, que al año siguiente cuando todos ellos en una apoteosis de chillidos y sacos de yute teñidos se reunieron para elegir La Reina de las Locas Cautivas, Arturo subió al trono respaldado por una decisión abrumadora y se vio sobre una suerte de catafalco atestado de andariveles en medio de incesantes berridos y loas ostentando un manto y una corona de amapolas –flores, éstas, que quién sabe cómo ellos, ellas, se las arreglaron para cultivar–, luego tuvo que cantar, amenizar las fiestas con sus gritos más estridentes, participar siempre con aire de real princesa –con real hastío– en las fornicaciones colectivas; y eso era, pensaba, lo que él había sido antes (antes de haber padecido el verdadero terror, el desprecio, la soledad), ¿y eso era realmente lo que ahora, siempre, los demás se imaginaban que era él, lo que realmente veían?, ¿por esas ridículas contorsiones, por esa voz de contralto en decadencia, por esos ademanes superficiales sería juzgado y recordado, olvidado?, ¿esa había de ser la visión, la imagen que los demás tendrían de él?... gestos mudos, conversaciones inútiles, ademanes equívocos, cuerpos que eran ya animales sin habla, histéricos escarceos, libidinosos chillidos, poses y giros afectados que no tocan fondo, risita ahogada o confuso aullido, todos hundiéndose, perdiéndose dejándose esclavizar, sin poder protestar, dejándose utilizar, corromper, aniquilar, ¿eso era también él? ¿esa era la imagen que todos se llevarían de él? ¿no habría escapatorias?, ¿no podría siquiera padecer con dignidad o discreción su desgracia?, no podía ser auténtico ni siquiera en el momento de manifestar su terror, condenado siempre a habitar un sitio donde sólo tienen sentido y lugar las frustraciones, donde no cabe más que el meneo o la burla, donde siempre una expresión vulgar, "graciosa", remata cualquier pensamiento coherente involuntariamente expresado, cualquier auténtica manifestación incoscientemente escapada... había que danzar, había que integrarse al barullo y chillar, como una puta había que, sencillamente, mover las nalgas, como un esclavo había que, obligadamente, inclinarse ante el surco, y los labios siempre dispuestos, alertas, a soltar una frase convencional, y luego, por las noches, si no había reunión o "trabajo voluntario", saltar el cercado del barracón, con muchísimo riesgo, e irse a buscar reclutas albergados a una distancia considerable pero no infranqueable para quien realmente quisiera llegar (además los mismos reclutas les ahorraban muchas veces la mitad del camino, viniendo al encuentro); Arturo también seleccionaba o era seleccionado, y entraba en los matorrales, momentáneamente era un consuelo... se iba adaptando, se iba adaptando, a fines de aquel verano, cuando Rosa le hizo una visita, Arturo debió controlarse con mucho esfuerzo para no multipicar gestos equívocos y para conservar el timbre normal de su voz, Rosa lo miró fija e inalterable, le traía una caja de dulces, algunas libretas de estudiante, le dio dinero y al final lo abrazó, lo que más agradeció Arturo de aquella visita, lo que mejor toleró fue el hecho de que su hermana no le hiciese ninguna pregunta, antes de oscurecer se marchó y ni siquiera dijo que regresaría, eso era ya una esperanza; Arturo la fue a despedir hasta la salida del barracón donde comenzaba el alambrado y notó que uno de los centinelas le hacía a ella el gesto, el mismo gesto obsceno que le otorgaban a él; "la vio", oyó que le preguntaban a su hermana: luego se quedó mirando el cuerpo joven pero cansado de Rosa que se alejaba por la explanada polvorienta; al entrar en el barracón repartió los dulces entre sus amigos, en La Habana mi hermana es una regia puta de fama, dijo, y todos aprobaron con exclamaciones elogiosas aquella muestra de sinceridad, e, inmediatamente, sacaron a relucir a sus hermanas que, según ellos, no se quedaban atrás, Arturo modeló, cantó y finalmente escenificó un largo poema erótico famoso en todo el campamento, compuesto allí mismo por siete maricas cultas, poco antes de amanecer se tiró casi rendido en la litera: había que degollarse, como siempre había que degollarse; al instante se incorporó, tanteó entre las cosas que Rosa le había traido, esa misma noche decidió que para salvarse tenía que comenzar a escribir inmediatamente, e inmeditamente comenzó; ellos podrían ampararse en sus superficialidades, ellos podrían agruparse, chillar, olvidar o no tomar jamás en consideración que desde hacía mucho tiempo ya no se les trataba como a seres humanos, no les ponemos la bandera, les decían los oficiales, porque ustedes no son dignos de ella, y a ellos no les molestaba ni ésa, ni ninguna ofensa, las encontraban lógicas, estaban ya tan imbuídos en su desgracia que ésta era ya casi una extensión natural de ellos mismos, algo inevitable, incambiable, como un castigo a perpetuidad, como una maldición del tiempo, ellos tenían sus gritos, su modo de hablar, su estúpida jerigoza, y sobre todo, y esto era lo que más irritaba a Arturo, tenían esa mansedumbre, ese aceptar cualquier cosa, cualquier tarea, cualquier terror, cualquier ofensa, e incluirla inmediatamente entre sus tradiciones otorgándoles una definición típica, incorporándolas al folclor, a las costumbres, a las calamidades diarias, así transformaban el terror en un ritual cotidiano; Arturo había visto cómo algunos eran castigados a permanecer de pie tres días completos bajo el sol y al final tenían siempre una frase superficial para rematar el castigo, algunos, muchos, eran trasladados de campamento, no se volvía a saber de ellos, nadie se quejaba, nadie protestaba, un día un grupo de oficiales jóvenes y retozones enterraron a uno hasta el cuello en el patio del campamento, así lo tuvieron varios días, cuando lo sacaron tenía fiebre alta y había perdido el habla, tampoco esta vez se protestó, y Arturo pensaba que si en algún momento los jefes, los otros, hubiesen determinado que todos ellos debían ser fusilados, se hubiesen dejado amarrar las manos tranquilamente, hubiesen caminado tranquilamente por el campo, se detendrían a la orden dada y todos, sin protestar, con la ingenuidad típica de los animales, hubiesen reventado en silencio, todos, todos, todos menos él, porque él se iba a rebelar, dando testimonios de todo el horror, comunicándole a alguien, a muchos, al mundo, o aunque fuese a una sola persona que aún conservara incorruptible su capacidad de pensar, la realidad; y las libretas traidas por Rosa se fueron saturando de una letra mínima, veloz, casi ilegible, ilegible para él mismo, había que darse prisa, había que darse prisa, había que seguir, rápido, y, tomando precauciones –se hacían registros, se prohibía llevar diarios, cosas de maricones, decían los tenientes como justificación oficial, irrebatible y reglamentariamente se violaba toda la correspondencia–, las libretas, las contratapas, los respaldos, los márgenes y forros de los manuales de marxismo leninismo y de economía robados de la Sección Política fueron garrapateados furtivamente, rápidamente, cuando nadie vigilaba, bajo la sábana, de pie en el excusado, en la misma cola para el desayuno, hasta los márgenes de los grotescos carteles políticos instalados en las paredes y murales para uso interno del campamento sufrieron la invasión de aquella letra microscópica y casi indescifrable en tarea interrumpida incesantemente y a la vez constante, ahora, ahora, no ahora, ahora, sobornando el sueño, eliminando las horas de la comida, renunciando al baño y a los escasos minutos del descanso, y sin dejar de participar, desde luego, en todos los desfiles de modas, orgías, asaltos a campamentos de reclutas, "festivales", insólitos carnavales y coronaciones, sin dejar de mover las nalgas o de acompañar al soldado al cañaveral cuando éste le hacía la señal convenida, sin dejar de cantar todas las noches, o casi todas, con aquella voz de puta enmohecida, sus más escandalosas creaciones... chillar, chillar, mover las nalgas y danzar, sólo así podría pasar inadvertida su verdadera labor, grutas tenebrosas y magníficas, legendarias cuevas donde no llegase el viento, cavernas de paredes rezumantes, aún no palpadas, albergando una perenne niebla donde sólo la canción de un manantial invariable fluye entre estalactitas bajo el abovedado subterráneo, y más allá, mucho más allá, la lejana claridad que irrumpe por un alto hueco detectando las misteriosas fluctuaciones de un mar interior, de un océano profundo y cerrado, sí, también las grandes grutas que serían holladas sólo por *él* y el eran necesarias, y allí las cavó, bajo la inmensa explanada, sus bocas discretamente disimuladas por montículos de retamas, había que seguir, había que seguir y Arturo continuó garabateando las cartas de sus compañeros robadas a medianoche, las consignas ofensivas y airadas del momento: ¡NI UN

PASO ATRAS! ¡DONDE SEA Y COMO SEA! ¡DURO CON LOS BLANDENGUES Y LOS MARIQUITAS!... una noche descubrió en el Departamento de Fiscalía un baúl repleto de actas sobre consejos de guerra, sin titubear se apoderó de ellas y tuvo material para trabajar por varias semanas, también la suerte, se decía, lo acompañaba: ya no era tan solicitado, ya casi no se le llamaba a medianoche para que interpretara una de sus exclusividades, y apenas se le consultaba sobre los matices que vendrían bien con el color de tal piel o la sombra que convenía a unas pestañas de éstas o aquéllas dimensiones, o los trajes apropiados para una producción "típicamente hawaiana", desde luego, Arturo no podría mostrar entusiasmo ante este olvido, por el contrario había que seguir insistiendo, bailar, chillar, meterse en la conversación aún cuando no lo solicitaban, había que hacerse evidente siempre, estar siempre en todos los sitios, agobiarlos, sólo así, manifestándose incesantemente, estando en todo, acudiendo presto a todos los acontecimientos, siendo siempre un acontecimiento, podría ganarse por parte de ellos el extraordinario privilegio de la indiferencia, quizás hasta la gloria del olvido.. y así lo hizo, y de tanto hacerse presente llegó a ser ignorado, además, para mayor fortuna, en diciembre un mariconcito adolescente y mulato fue "ubicado" en aquel campamento, cantaba guaguancó con una ronca e inimitable voz de puta trasnochada y sentimental, casi trágica, llevaba su alambrada cabellera completamente estirada y teñida de azul, e inmediatamente se hizo famoso y se le otorgó el nombre de Celeste, fue el foco de las reuniones y Arturo contó con algunas horas más para dedicárselas a las hojas en blanco, hasta los minutos de descanso los pasaba en el mismo campo repasando su próximo recuento, ensimismado, en otro mundo, cortaba la caña metódicamente, furiosamente ya sin ser molestado, el soldado que hacía de guardiero lo miraba un poco extrañado sin comprender a qué demonios se debía aquella excesiva disciplina, pero sin preocuparse demasiado por saberlo, aún una vez por semana le hacía la señal y los dos, como siempre, se adentraban por la madrugada en el cañaveral, así, sin dejar de atender aquellas solicitudes, sin faltar al trabajo, aplaudiendo a Celeste, Arturo siguió escribiendo en forma infatigable, sin sentirse cansado ni dar muestras de estar terminando su obra; avanzando el nuevo año se realizó en él un cambio que aunque casi ninguno de los compañeros del campamento lo percibió, menos aún los soldados, fue decisivo: un día al levantarse, Arturo descubrió que se había vuelto insólitamente hermoso, la cara, tersa y bronceada, había perdido aquellos rasgos afilados, temerosos y estrechos, los ojos se habían vuelto más grandes y brillantes, los labios más hinchados, el pelo de un lacio vital, sedoso, reluciente y tupido, el cuello más largo, su cuerpo todo adquirió la indolente flexibilidad de un adolescente deportista; Arturo acudía a los más grandes espejos propiedad de las maricas más audaces y generalmente más espantosas, se detenía ante cualquier lata, cacharro de cocina, tanque de metal que pudieran reflejar, aunque opacamente, su nuevo rostro; cuando el campo quedaba lejos y había que utilizar el transporte aprovechaba siempre la ocasión para contemplarse en el espejito retrovisor del camión a expensas de las burlas de los soldados y aún de los golpes, si iban a pie, en el camino no desperdiciaba la oportunidad que le ofrecían las aguas estancadas de un fanguero, de una charca, de una yagua, de cualquier recipiente que lo reflejase; era hermoso, era hermoso, cada día se veía más hermoso, palpaba su cuerpo, se acariciaba el cabello, con los ojos cerrados imaginaba, veía, su figura esbelta, ágil, perfecta, tan diferente a su antigua y raquítica configuración, y ellos ¿cómo era posible que no se dieran cuenta?, ¿cómo era posible que no quedasen maravillados, sorprendidos, ante tal transformación?, y los otros ¿cómo es posible que los otros tampoco advirtiesen aquel cambio?, sí, era cierto que ahora, siempre que pasaba por las postas, algún soldado se sobaba, se rascaba los testículos, y hacía una señal obscena, pero eso era más bien una costumbre, una tradición, un modo de decir *aquí el macho soy yo*, y muchas veces ni siquiera le miraban el rostro mientras hacían el gesto; sí, era cierto que algún maricón a veces le elogiaba la brillantez de sus ojos y al regresar del campo, otros, como jugando, le tocaban los muslos; era cierto también que el soldado guardiero en el encuentro semanal, en el preciso momento del resoplido le pasaba una mano por el cabello, pero eso era poco, pero eso no era nada ante aquella transformación, eran manifestaciones extremadamente pobres, mezquinas para aquellas exhuberancias, para aquella maravilla, para aquel conjunto armonioso que era él, Arturo; cómo podían ser tan crueles, cómo podían haber llegado a tal grado de egoísmo, de entorpecimiento, de brutalidad para no notar aquel cambio, o cómo podían ser tan terriblemente deshonestos, sucios, para, notándolo, no reconocerlo, porque si algo sobre la tierra resultaba evidente, innegable era que él, el Arturo actual, era una de las criaturas más perfectas del universo, de eso estaba absolutamente seguro, hasta tal punto que fue por entonces cuando por primera vez comenzó a temerle a la muerte y a dudar de la eficacia de las palabras: aquel rostro terso, reluciente, aquellas manos largas y delicadas, aquel cuerpo cimbreante, aquel cabello suave y tupido, todo para la tierra, todo condenado a la pudrición, a la infatigable voracidad del gusano y nada más, ¿y nada más?... cada día que pasaba era un día que lo empujaba, que lo acercaba a su destrucción, cada hora, cada segundo: un empujón, un empellón, una patada, lanzándolo al inútil y monstruoso fin, envejecer, Dios mío, envejecer, volver a ser horrible, más que horrible, repulsivo, ser un objeto enfurruñado, una cosa babeante, un espantajo bamboleante, envejecer, envejecer, y qué podían las palabras contra ese terror, el más intolerable... qué podían hacer ellas allí, apasionadamente ordenadas, trabajosa, costosa, riesgosa, inutilmente ordenadas, qué podían hacer... contra la realidad insoportable, otra realidad, nuestra realidad, sólo con la creación de un nuevo presente, se puede eliminar el presente presente, no con relatos, no con recuentos, no con análisis minuciosos o brillantes de lo que ha sucedido y sucede, éstos, en fin, no hacen más que afianzar, situar, justificar, evidenciar, darle más realidad a la realidad padecida, no son más que variaciones del mismo terror y toda variación engrandece el objeto que la origina, la Historia no se ocupa de gemidos, sino de números, de cifras, de cosas palpables, de hechos, de alardes monumentales, y no suele interesarse por los que redactan sino por los que transforman, borran o destruyen, la primera plana no es para el esclavo ni el vencido; a la imagen que se padece hay que anteponerle, real, la imagen que se desea, no como imagen, sino como algo verdadero que se pueda disfrutar...

envejecer, envejecer, envejeciendo, y por un tiempo no supo cómo salvarse, y por un tiempo consideró que hasta el hecho de seguir viviendo era como una traición a la vida, el acto más abominable, pues no era más que padecer pacientemente una abyecta, sucesiva estafa que culminaría en la estafa mayor; y hasta los pocos deseos cuando se realizan, pensó entonces (la página escrita, el soldado que inconscientemente le pasa una mano por su cabeza, el aguacero a la hora de sueño), se convertían también en algo grotesco, distinto, aún cuando fuese el igual a lo soñado; había que dominar, sobornar el tiempo, darse prisa y contener tal burla, darse prisa, había que darse prisa; ya estaban otra vez allí los ofensivos calores, darse prisa, ya estaban otra vez allí los insolentes soles del verano, otra vez allí la fija claridad, y en la claridad humillante la estridencia de los otros; y contra la estridencia qué sino el silencio, y contra la hiriente claridad qué sino el fresco, amplio recinto velado por tenues cortinas; contra aquel campo polvoriento y reseco, desprovisto ya de árboles, asfixiante: jardines y fuentes, un banco en la verde penumbra, los amplios espacios sumergidos y azules surcados por vegetaciones que simulan fascinantes fantasmagorías; esa realidad y no aquélla realidad, esa verdad y no aquélla; contra el tiempo de ellos, de los otros, de los demás –tiempo horrible, humillante–, su tiempo , contra el infierno, contra los pesados engranajes y sucesivas estafas y sucesivas ofensas: el sitio, su único sitio, sí, real, insustituible, hecho para ser habitable; fue entonces cuando Arturo empezó a viajar, empezó a conocer, a construir, en grande, empezó a vivir; una avenida bajo el prodigio de las glicinas estallando, allí estaba él; una cacería en Alaska, allí estaba él; la recolección del loto en los lagos de la China, él allí; un aterrizaje violento y poético en las insospechables superficies de un planeta en gestación... Dios, Dios, y en la estación rotunda los ijares de un caballo estupendo contra las mañanas saturadas... a machetazos, a machetazos iba abriendo la claridad en el cañaveral, cortando las cañas, lanzándolas ante la fija mirada de los soldados, seguía, sin sentir el restallar de su cuerpo empapado contra las hojas agresivas, sin sentir siquiera los agijonazos de las hormigas que le subían por las botas, se afianzaban y penetraban en la carne, sin sentir siquiera el calor ni el cansancio, sin sentir ya ninguna calamidad, y, a machetazos, superaba, sobrepasaba, sin saberlo, sin proponérselo, todas las mentas, las normas impuestas por los altos jefes que como un bólido pasaban a veces en su Alfa Romeo por aquel campo de concentración... en el Léman, donde la Condesa de Merlin perfeccionó sus estudios de canto, donde disfrutó de su exilio la Reina Cristina, allí estaba él, señalando displicente las aguas discretamente rizadas, predicando con elegante negligencia ante un coro de delfines; perdido en una ciudad florentina, desnudo y hechizado ante la violencia del desierto o bajo las fachadas tudescas de una ciudad ardiente y costera donde un mozo castellano, bárbaro y exquisito, le otorgaba una señal gloriosamente obscena, allí, allí estaba él, joven, absolutamente libre, infinito... calles, calles caprichosamente dispuestas, kioskos ventilados donde las cornisas y hasta el limpiabarros se reflejarían sobre la simetría impecable de las celosías, y allá, donde el camino descendía formando un pequeño, suave, delicioso recodo, un sonoro ensortijamiento de bambúes... lo buscaban, todo estaba organizado, rigurosa, macabramente organizado –vigilado– y lo buscaban, allí estaban los otros, clasificados por categorías, grados de poder, el primer teniente, el teniente, el subteniente, el cabo, el segundo cabo, el guardia, el recluta, había un orden, siempre había un orden rigurosamente preconcebido, legalizado, respetado, según el cual el más alto podía humillar al que le seguía y así sucesivamente hasta llegar a ellos, los humillados por todos, los que ya no podían humillar a nadie porque allí terminaba la escala de las humillaciones; lo buscaban, ya todo aquel ensamblaje –aquel orden– se había puesto en movimiento, había echado a andar, cumpliendo las orientaciones de arriba, y ya lo buscaban; desde hacía varias horas el jefe de brigada le había comunicado al jefe de campo la ausencia de uno de los reclusos, el jefe de campo habló con el oficial de zona quien habló con el capataz, lo que antes hubiera sido un mayoral y ahora era un hombre uniformado, con pistola a la cintura, y el jepp con los hombres salió violento por entre la rojiza polvareda, ese día el jefe de brigada se veía mas enfurecido que de costumbre, quizás por el calor, o porque hacía muchos meses que estaba destacado en aquella zona y de "allá arriba" no bajaba la "orientación" para que fuese trasladado a mejor sitio; llegó al barracón, llamó varias veces a Arturo, número, dormitorio, nombre, apellidos, pero en el albergue sólo había dos o tres maricas que trajinaban con las escobas quienes en son de burla respondieron "ella no está aquí" con voz en extremo afectada; el jefe de zona se dirigió enfurecido rumbo a las maricas, pero ellas, con habilidad realmente pasmosa, manejando las escobas, barrían, sacudían, recogían la basura, simulando no haber advertido la presencia del militar, quien les preguntó casi confundido si habían visto a Arturo, las maricas, siempre sacudiendo, dijeron que desde hacía horas, siglos, dijo una, no sabían de él, y el jefe de zona entró enfurecido en la sección política, entonces las maricas tiraron bayetas y escobas y emitieron un prolongado chillido de soprano despechada, pero el jefe estaba tan enfurecido que no hizo caso al grito y comenzó a impartir órdenes, panoplias, dalmas, albacaras, un sagrario cuyos vitrales proyectasen en todas las direcciones los rayos del sol, rojos, verdes, violetas, azules, allí estaba él con los ojos semicerrados cautivado por los altos y abovedados espacios y por las cadencias del órgano, pasando ahora por la púrpura, pasando ahora por el tisú, Arturo, Arturo, afuera las voces, el estruendo, la gente que chillaba, lo llamaban, lo solicitaban, lo molestaban, y poco a poco la gran catedral iba perdiendo imágenes sacras y la armonía del órgano era aniquilada por la voz (los gritos) del soldado guardiero, por el infatigable chillar a coro de las locas más afocantes y fastidiosas que aún no le perdonaban, no le permitían, que él las abandonase, las dejase para construir su reino; sólo entonces, cuando no le quedaba otra alternativa, Arturo regresaba y, aún aturdido, deslumbrado, tomaba el machete y comenzaba a doblegar los tallos, acá, en la estruendosa soledad, en el campo crepitante, pero a pesar de todo, con el tiempo, fue perfeccionando, ampliando, sus métodos de construcción y viajes, creó en menos de una tarde un jardín flotante, varias columnas de complicadas alegorías, columpios, y, sobre los álamos, tarimas diminutas y blancas, casas de muñecas para cuando, en las tardes de lluvia, se le ocurriese regresar a la infancia; así seguía, seguía, había practicado hasta tal punto su trabajo que levantaba una pagoda (con cenefas al óleo) mientras todos obligatoriamente entonaban las notas de La Internacional... y al hundir sus manos en el fregadero (una vez por semana le tocaba el fregado) sacaba abanicos estampados, collares cincelados, anillos, adminículos montados en oro y otras joyas rigurosamente talladas que alguien, sin duda un apasionado admirador, depositaba allí para que él las encontrase; y así siguió construyendo, inagotable, a pesar de las reclamaciones del grupo, del *de pie* a las cinco de la mañana y de las irresistibles solicitudes del guardiero, a pesar, incluso, de la alta e invariable figura de la madre que al oscurecer cuando él regresaba de la agobiante jornada, lo esperaba inmóvil en la pequeña explanada que se levanta frente al barracón... sólo los ojos hinchados y abiertos de Celeste brotando de un rostro totalmente desfigurado, le hicieron dudar de la eficacia de su método, y lo situaron –otra vez– en la intolerable realidad; aquella tarde había llovido de tal modo que el fango no permitía trabajar y a ellos se les concedió la autorización de bañarse en el río; Arturo, naturalmente, prefirió ir directamente al barracón, en la ausencia de todos, con aquel silencio, desarrolló memorables perfecciones, tal variedad de columnas y estancias fascinantes, espacios abiertos a cielos violetas, caracoles y relojes, tantas maravillas, que cuando ellos depositaron ante él, luego de una multiplicación de gestos inútiles, el cuerpo del mariconcito ahogado, a Arturo le resultó difícil abandonar sus recintos; pero allí estaban ellos chillando, y allí estaba aquel cuerpo rígido e inflamado, aquella lengua ennegrecida, horrible, allí estaba el muerto, ocupando una dimensión absoluta, aniquilando varandales y butacones, alfombras y trineos, caracoles y columnas y hasta la tan familiar imagen del alazán cabalgando praderas voluptuosas... era la hora en que ellos, luego de la comida y las estridencias de sobremesa, luego del chillido en los baños, se dispersan en grupos detrás del barracón y otros se llegan hasta el campamento de los reclutas, era la hora en que el silencio, el casi silencio, el tan difícil, caro silencio ayudaba a Arturo a deslizarse, a escapar, mientras la penumbra, cambiante, ascendente, convertía las dimensiones estrictas, pobres, de una piedra, de una lata, de un pedazo de palo, en mágico trampolín (joya, cofre, vaso encantado) para saltar hacia fabulosos parajes, hacia tierras no computadas en mapas o esferas; pero esa noche por mucho que se esforzaba, Arturo no lograba transponer las paredes del barracón, cada vez que hacia un esfuerzo para retirarse, para trasladarse a su realidad, el rostro inflamado de Celeste le cubría la retirada; en cada entrada del barracón, el rostro, la horrible lengua agrandándose y los ojos reventando, aniquilándole las posiblidades de escape, y luego la madre, alta y fría, en el mismo centro del barracón, dominando con su mirada fija y recriminatoria, también señalando para el cadáver y observando a Arturo como se observa a un objeto que se aprecia, pero sobre el cual tenemos la certeza de que no lo perderemos nunca; esa mirada –violenta y avergonzada– lo reducía, lo dejaba impotente, prisionero, otra vez prisionero de la realidad imediata, las insufribles literas, el trabajo, el hambre, la opresión y aún más: prisionero de la fastidiosa memoria y de la muerte; y aún cuando cerrando los ojos trató de crear un pequeño arriate florecido, un follaje, el rostro amoratado no lo abandonó, y la gran lengua le hizo aniquilar rápidamente el pequeño cantero; intentó entonces conformarse con un murmullo de hojas cayendo en otro sitio, en cualquier sitio, pero la madre estaba allí chisporroteando entre las sombras, ordenando que se acercase a su pecho chamuscado, ordenándole que aceptase exclusivamente aquella realidad, la que siempre lo rechazaría y él rechazaba; de pronto, reconoció espantado que no había escapatorias, que todos sus esfuerzos habían sido inútiles, y que allí estaban las cosas, agresivas, fijas, intolerables, pero reales, allí estaba el tiempo, su tiempo, su generación ofendida y estupidizada, las literas molestísimas y él sobre una de ellas, y dentro de poco la voz gritona que le ordenaría incorporarse, integrarse a un terror que ahora, al saberlo definitivo, insuperable, resultaba desde luego aún más espantoso, y pensó, en ese momento, que las pequeñas treguas que por unos instantes se suelen disfrutar casi en cualquier sitio –la sombra de un árbol, la visión de un cuerpo espléndido, la frescura del agua al pasar por la garganta sedienta–, no eran realmente treguas, sino requisitos necesarios que debe observar toda calamidad, toda desgracia, para que quien la padezca pueda establecer diferencias y sufrirla conscientemente, plenamente... durante toda la noche Arturo permaneció aterrorizado con esos pensamientos, y sólo por la madrugada, poco antes de que estallase el *ide pie!* logró levantar una pequeña y borrosa torre, pero en ese mismo instante escuchó una tonada, una suerte de música, canto o silbido, una especie de cadencia casi olvidada que otra vez lo poseía y transportaba; alguien afuera cantaba, alguien afuera provocaba aquella melodía, alguien que no era, desde luego, ninguno de ellos, ni de los otros, ni de los demás, estaba allá afuera y cantaba, otra vez, otra vez; Arturo levantó la cabeza, ahora el que cantaba, no sólo cantaba sino que emitía largos silbidos, altos y viriles, fascinantes, como llamándolo, acompañado por la música; Arturo se tiró de la litera y corrió hasta una ventana; en el centro del patio del barracón se encontraba un adolescente, desnudo e insólitamente hermoso, dirigiendo como una invisible orquesta que dentro de la noche producía aquellas extraordinarias resonancias; Arturo se quedó paralizado contemplándolo, el muchacho silbaba ahora saltando sobre las piedras, sobre los esmirriados canteros que ellos habían construido, sobre los arbustos, seguido siempre por la música;

saltaba alegremente sin dejar de emitir aquellos varoniles y joviales silbidos, regresando al suelo hacia girar vertiginosamente la piedra de esmeril donde ellos tenían que amolar las guámparas y machetes, brincando sobre los enormes calderos de la cocina provocaba también estruendos memorables, saltando al único árbol del patio danzó sobre su copa, finalmente, con las manos puestas en la cintura miró a Arturo, le sonrió, descendió y echó a correr; Arturo corrió tras él, pero el muchacho atravesaba ya los cercados de alambre, y seguía corriendo por entre latones de desperdicios hasta perderse sobre el techo del almacén; en ese mismo instante estalló en el barracón el grito de *¡de pie, maricones!*, y Arturo, aún hechizado, corrió hasta su litera, el soldado que hacía ese día de oficial de guardia se sorprendió (sin dar muestras de ello) al verlo tan rígido y firme, respondiendo disciplinadamente al primer grito... durante todo el día, Arturo trabajó con destreza insuperable, sus compañeros lo miraban laborar enfebrecido y le hacían alguna mueca o se burlaban en voz alta, pero Arturo nada escuchaba, también el soldado guardiero lo observaba con atención en espera de que él,

Arturo, lo mirase para hacerle la señal convenida, pues esa noche, según sus cálculos o instintos, debían internarse en el cañaveral; pero esa noche, Arturo no solamente desobedeció las solicitudes del soldado, sino que ni siquiera fue al comedor, ni se bañó ni se cambió la ropa; en medio del estruendo y el trajín de las maricas que revoloteaban entre trapos y colchonetas hediondas mientras se afeitaban las piernas para el próximo "Gran Show", Arturo se mantenía impasible y mudo, como flotando sobre aquel caos bullicioso, así esperó la medianoche y cuando sintió unas pisadas en el patio saltó rápido por la ventana: allí estaba *él*, riéndose y desnudo sobre uno de los canteros destartalados; Arturo trató de acercársele, de hablarle, de tocarlo, pero el muchacho se escapaba, riendo y saltando; Arturo entonces le hizo una señal indicándole que lo acompañara hasta su litera; el muchacho lo siguió parsimonioso, Arturo temblaba, pero al llegar, el joven echó a correr, desapareció; Arturo, sin embargo, se mantuvo alerta, esperando su regreso, hasta que gritaron: *¡de pie!*, y ese día fue también el primero en estar firme ante su litera; la noche siguiente, Arturo pudo ver de nuevo al muchacho realizar las mismas ceremonias en el patio, pero esta vez antes de que Arturo le hiciese el ademán breve y cómplice, el joven desnudo se desvaneció, desapareció, cerca de la ventana; a la otra noche, Arturo, al oir las pisadas apenas si tuvo tiempo –aunque casi voló hacia la ventana– de ver la figura radiante y fresca del muchacho que se perdía tras la casa de las máquinas; completamente desconcertado, Arturo entró en el barracón y se encaminó hacia su litera, allí la sorpresa (la dicha) lo estremeció al tropezarse con un brazo fuerte y joven que lo estaba aguardando, pero era el soldado guardiero quien lo apretaba, mientras le susurraba "vamos, mariconcito, que hace quince días que me tienes a mano limpia"; Arturo apretó también aquel cuerpo excitado y los dos tomaron el rumbo del cañaveral; esa noche, Arturo trabajó con apasionada y minuciosa furia en todos los resortes eróticos del soldado, quien lo dejaba hacer otorgándole de vez en cuando (quizás como caricia) un golpe en el cuello, al terminar, los dos estaban tan exhaustos que poco faltó para que el oficial de guardia los encontrase rendidos y abrazados bajo uno de los plantones del cañaveral, pero durante todo ese tiempo, aún cuando el goce adquirió tal intensidad que las cosas perdieron su acostumbrada consistencia, Arturo no dejó de pensar en la radiante figura del joven que en su honor había danzado en el patio del barracón, sólo para él, sólo para él... al otro día, Arturo intentó convocar a la figura deliciosa, pero por mucho que se afanó lo único que logró percibir (y eso en los momentos de mayor inspiración, de mayor pasión) fue una imagen lejana, una visión irreal amparada por la memoria, no un cuerpo palpable, concreto, vivo, que emitiese carcajadas, pisadas que dejasen huellas, un olor, un silbido exclusivo que le hiciese perder el miedo y lo impeliese a saltar por la ventana y correr tras él; había que redoblar el esfuerzo, había que tocar, excitar, descubrir todos los resortes de su imaginación para atraer la imagen real –definitiva y rotunda– de su amante... resonó el gran grito, se alzaron los mosquiteros, y los cuerpos maltratados y flacos, deformados por el trabajo y el hambre, comenzaron a emerger de entre las sábanas con sus estrámboticos parloteos, "hay o no hay agua", "quién tiene pasta de dientes", "quién me robó la toalla", “quién me levantó el jabón”, “ cuál fue la maricona que se atrevió a hurtarme a mí, a mí, Freya, La Poderosa!”... eran esos los “sonidos matinales”, la misma cantinela, la invariable, y él tambien ejecutó las mismas “ceremonias”, se encaramó en el camión y comenzó a trabajar, pero había que hacer algo más, se decía, sin dejar de machetear, había que organizar coherentemente los acontecimientos, en primer lugar, chequear, constatar, ver dónde estaba el fallo, allí, allí mismo, en medio del estruendo y la gran claridad y el torbellino de las hojas crepitantes, pensar cual era el error que había cometido para que *él*, el delicioso, se hubiese marchado; mientras esperaba, sin dejar de cortar, por el agua, mientras esperaba, sin dejar de cortar, la hora de almuerzo, mientras de pie, lívidos, exhaustos, sin dejar de cortar, aguardaban la orden de *¡recojan, pájaros!*, Arturo, que aún no había encontrado el fallo, la equivocación, comenzaba a crear, trabajosamente, las manos del muchacho, pero, ¿cómo eran sus manos?, ¿y el rostro?, ¿y el olor del cuerpo? ¿cómo era su olor? ¿y los ojos?, ya no se acordaba del color de los ojos, y ya no se acordaba de la configuración de los dedos, en conjunto sí, lo veía todo, lo veía completamente, radiante, desnudo, absoluto, saltando, acompañándolo hasta su litera momentos antes de que amaneciese, pero cuando iba a los detalles, cuando trataba de reconstruir cada parte de su cuerpo, cada gesto, la imagen se alejaba, se perdía deformándose, era imposible precisarla, alcanzarla, y el muchacho ideal, el real, se disolvía en el recuerdo; a veces perdía toda una noche en la reconstrucción, sin éxito, de una sonrisa, y seguía el dale dale, el cortar a rente, en tres trozos y tirar la caña para el montón, dale, dale... una noche, de madrugada, momentos antes del acostumbrado grito, momentos antes de que con un gesto de cansancio final, de violencia final, corriese hasta el guardia y le arrebatase la pistola, y se saltase los sesos, antes, sospechó, intuyó, se aferró a la idea de que para que el delicioso joven hiciese de nuevo su aparición, él, el amante, debía seguir construyendo, sí, debía construir un lugar, un sitio ideal, digno de su recibimiento, algo fabuloso, único, exclusivo para el momento del encuentro, algo que cautivase hasta tal punto, que sedujese hasta tal punto que cuando *él* llegase no quisiese marcharse, permaneciese a su lado para siempre, ¿acaso no conocía ya sus gustos?, ¿no había surgido en el momento en que él, Arturo, había recomenzado su labor de constructor?, ¿cómo debía interpretar aquella aparición magnífica? ¿no era el muchacho la culminación de todos sus esfuerzos, de todas sus construcciones, el habitante ideal para el sitio ideal?, ahora comprendía, ahora comprendía, el joven era el final de su magistral obra, el remate maravilloso que solamente después de haber creado otras maravillas le iba a ser posible, concedido, ver, poseer... mármoles, gárgalas, un gran puente, una bandada de gaviotas retomando el sendero del mar, la violencia de la primavera estallando junto a las cristalerías, faros, parabrisas, guaninales y columnas, escaleras y frontispicios, portales, templos, y las diversas, cambiantes zonas de un cielo empedrado, todo eso, con inenarrable esfuerzo construyó, pero *él* no le hacía la visita, y todas aquellas edificaciones, aquellos paisajes, desaparecieron, pero Arturo se negaba a darse por vencido, si todo aquello no había sido suficiente para atraerlo se debía a que toda esa creación era poca, mezquina y además incoherente, pues, sin embargo, en los momentos exclusivos, fugaces, en que algo (quién sabe qué) le indicaba que había tocado casi la perfección (lo insólito) o lo más cercano a ella, ¿no llegaba entonces a sentir la presencia de *él*?; y en ese mismo instante, Arturo dedujo o creyó comprender que la divina figura no sólo solicitaba como escenario recreaciones –creaciones– aisladas y atrayentes, sino que era digna –reclamaba– todo un universo perfecto, un sitio exclusivo e insuperable, algo superior, meritorio de un príncipe, ¡un castillo!, ¡un castillo!, eso era, efectivamente, lo que *él* solicitaba (¿acaso no había surgido *él*, el príncipe, en el momento en que Arturo había logrado levantar una torre?), un sitio legendario y encantado, poblado de leyendas y atalayas, chimeneas y recodos mágicos, sólo entonces *él*, el exclusivo, volvería a dejarse admirar, a visitarlo; y a la tarea de esa insólita construcción se dió, y en su trabajo puso toda su vida –no mover un dedo gratuitamente, no desperdiciar ni una palabra, no malgastar furias, ni siquiera las imprescindibles, no tomar con pasión el terror cotidiano, reservar todas las fuerzas para su gran obra–, pero todo conspiraba, todos interrumpían, obstaculizaban, todo detenía, retardaba, retrasaba, siempre había un nuevo campo de caña quemada que había que cortar urgentemente, siempre había un yerbazal que arrancar, un patio que barrer, una piedra que remover, algo que sacudir, algo que cargar y transportar, algo que subir, algo que bajar, una orden que cumplir, siempre una llamada, te buscan, te chillan, te gritan, las columnas se disuelven, el magistral tallado de una escalera se borra, los baluartes se derrumban y el pequeño remolino de agua, el centelleante remolino donde lujosos y mínimos peces saltan, vuelve otra vez al fondo... había que negarse, había que de algún modo escapar, burlar para no ser burlado, elevarse para no ser aplastado, había que encontrar una solución, un método, algo a que aferrarse y llevar a cabo su plan, su plan, y sabía, comprendía, intuía que realizar sus propósitos en tales condiciones era imposible, pero comprendía también, aún con más claridad que, precisamente por ello, era lo único que justificaba su vida, tiempo, tiempo, ante todo tiempo, ya no tan sólo los momentos de vigilia en la madrugada cuando los demás dormían, gemían aprisionados por pesadillas comunes o se entregaban al delirio de las frotaciones, ya no tan sólo el instante de la cola para el plato de sopa en que abstraido, como mirando a alguien, aprovechaba (a veces, para su alegría, la fila avanzaba lentamente y podía llegarse hasta allá, donde estaba levantando la gran obra, y modificar la expresión de una estatua, afinar las resonancias de un reloj renacentista o pulir la autenticidad de un nido de cencerenicas balanceándose sobre la alta techumbre de un pinar), nada de eso le bastaba pues debía regresar, tenía que regresar, ya estaba allí, otra vez, el camión esperando, el "apúrate, comemierda, que te vuelan el turno", el "de pie, cojones, que ya es hora de volver al campo", el "¿qué te pasa que hoy no quieres modelar como las demás niñas?" o el gesto (los gestos) libidinoso del soldado, y el nido dejaba de balancearse, el lago no había podido rodearse de árboles que se inclinasen para mirarse en sus aguas, y el estruendo de platos y cucharas terminaba borrando el susurro de los tallos y hasta la fragancia de una plantación de jazmines de El Cabo trabajada con tesón desde hacía varias horas, y él tenía que apartar el recipiente (¡el siguiente!, ¡la siguente!, gritaba el cocinero) para que no cayesen en el plato los fragmentos de la construcción destruida, y el cucharón descargaba en el vacío, y el cocinero gritaba *maricón, maricón, lo hiciste adrede, ahora vas a comer mierda*, y toda la cola comenzaba a agitarse, a protestar, a gritar, *línchenla, línchenla*, clamaban las extremistas, y hasta las rosas, tan perfectamente trabajadas junto a la puerta del palenque, perdían sus contornos invadidas por el chisporroteo del potaje... tiempo, tiempo y silencio, eso era lo necesario para triunfar, lo imprescindible si quería ganar la batalla, justificar su vida, seguir; tiempo, robarse el tiempo, hacerse del tiempo y del silencio para lograr finalmente su objetivo, su único objetivo, el que le hacía soportar ahora todos esos espantos, él debía ganar esa batalla, siempre perdida, del tiempo, él debía imponer el refinamiento y la fecundidad del silencio a la estéril estupidez del perpetuo estruendo, Dios, Dios, dame el tiempo, concédeme el tiempo, préstame el tiempo, pero Dios hacía tiempo que había desaparecido, se había suicidado, se había largado, se había esfumado, como tantas dulzuras, terrores y sueños, ahora nadie, sino él, Arturo, era Dios; nadie, sino él, Arturo, podría hacer algo por él, Arturo; ahora y siempre, en cualquier infierno que habitase, él y su angustia, él y las ofensas, él y los sueños insospechados, huir de allí, irse donde nadie lo fastidiase, donde nadie ultrajase sus monumentales construcciones, huir donde no tuviese que realizar las esclavizantes mezquindades que diariamente padece todo hombre en cualquier sitio ahora y siempre para poder llenar –a medias– la barriga o para poder tirarse en una cama y dormir o fornicar y engendrar, multiplicar, el número de esos seres grotescos, imperfectos, chillones, sucios, viles y cobardes: ellos, los otros, los demás, todos... no seguiría soportando, no permitiría que las grandes imágenes, las grandes construcciones, los grandes y divinos proyectos que se acrecentaban en su cerebro y desesperadamente solicitaban salir, derramarse y crecer, se desfiguerasen o perdiesen pasado el momento en que debían ser puestos en ejecución, ¡no!, si antes, hasta ahora, se había conformado con cortas escapadas, con esconderse cerca del campo y aparecer rápido en cuanto notasen su ausencia, ahora no bastaba con eso, ahora era su vida, era su tiempo, el que importaba, no unos minutos: su tiempo, su verdadero tiempo, su gran tiempo, sin un chillido, sin ninguna orden, sin ninguna ofensa, sin nadie más que él y el fabuloso proyecto en gestación, para que al fin viniese, lo visitase, se quedase, el otro; y en ese mismo momento, Arturo tiró la guámpara, echó a correr por entre el cañaveral y llegó, libre y jadeante, hasta la explanada, hasta el gran sitio donde daría forma a su reino –el inmenso castillo– al margen de todos los terrores; y al instante hizo descender las grandes figuras palpables y apacibles, de los elefantes, colocándolos al final de la extensa llanura, y se dispuso febrilmente a construirlo todo para el gran recibimiento, para la llegada del otro, de *él*, quien sería la culminación de su obra... entonces, ahora, en estos momentos, ya en la sección política el oficial de guardia se incorpora, luego de haber recibido la información del jefe de brigada a quien se la comunicó el soldado guardiero, y llevándose instintivamente la mano a la pistola dice: así que otra vez el mariconcito ha jugado al desertor, e imparte la orden de persecución y captura al primer teniente; el primer teniente se comunica con el teniente, el teniente con el subteniente, el subteniente con el cabo, y el cabo, con varios soldados, sale a la captura; pero antes el primer teniente ordena un registro en los trastos de Arturo, y todos ávidos, pensando encontrar cigarros, dinero, alguna lata de leche, quien sabe si hasta joyas ("de un maricón todo se puede esperar"), registran, revuelven; cartas y fotos de maricones, dice uno, y las tira; potes de crema, dice otro y los lanza contra el suelo, y papeles, papeles, cartones, pancartas, afiches, actas de consejos de guerra, y todo escrito hasta los mismos bordes; las actas que se habían perdido, dice el teniente, qué haría ese verraco con ellas, y toma una y, con trabajo, lee, al instante, asqueado, mira al cabo y le entrega uno de los documentos garabateados, qué te dije, dice, con esta gente hay que tener mucho cuidado, éste no sólo no se conforma con desmoralizarse a sí mismo, sino que también nos desmoraliza a nosotros, al país, a la patria, mira lo que escribe, contrarrevolución, contrarrevolución descarada; y el cabo lee, trabajosamente, algunas palabras que no entiende: *jacintos, turquesas, ónix, ópalos, calcedonias, jades.. un aterido lo-fo-ro-ro,* ¿lofororo?, ¡qué coño es esto!, qué cantidad de sandeces y boberías, qué verborrea, qué palabras tan raras... efectivamente, dice, ahora sí que lo hemos agarrado con la gorda, y piensa: así que por estos garabatos, por esta sarta de disparates cualquiera puede perder la cabeza, y aún se queda por un momento ensimismado mirando sin leer ni entender aquel diluvio de palabras endiabladamente escritas; para él, en el fondo, sólo existe un enemigo, el que tiene un arma y combate, los demás, piensa, son sólo maricones, como éste, y no tumban a ningún gobierno; pero entrega las hojas y saludando reglamentariamente dice: ahora mismo se lo traigo, teniente, y ya la pequeña tropa sale precipitada... si antes habían sido espacios reducidos, estrechos pasillos en los cuales cuando otro venía había que retroceder, ahora eran espacios inmensos, amplias bóvedas combadas y espléndidas; si antes habían sido habitaciones mínimas, estrictas pocilgas cerradas y calenturientas, malolientes, congestionadas y oscuras, ahora eran habitaciones sin fin prolongándose en amplias terrazas de armoniosas cristalerias bañadas directamente por el sol; si antes habían sido paredes embadurnadas, paredes, descascaradas, desnudas y chillonas, paredes que se desmoronaban por el reventar de una cañería podrida o bajo el peso de las pancartas que sus ojos siempre habían rechazado y siempre habían estado condenados a mirar, ahora eran gruesas, sólidas, monumentales elevaciones, torres que se alzaban hasta perderse en las nubes; si antes era la candente plantación, el paisaje engarrotado y polvoriento, la raquítica vegetación debatiéndose entre latas y papeles cagados, ahora eran los grandes árboles, los umbrosos, los imponentes, los de tronco inabarcable, en cuyas frondas susurrantes y acolchadas comódamente podría guarecerse un ejército –su ejército–; si antes había sido la cola para la gota de agua, el bañarse rápido antes que se agotara el tanque, el sacar a pulso un balde del pozo lejano, la charca sucia en la cual había también que beber (igual que los animales) y zambullirse corriendo antes de que llegaran ellos también deseosos de refrescarse, de enfangarse, ahora eran las profundas extensiones, las vastas y misteriosas extensiones, las inmóviles extensiones solemnemente cruzadas por altos y cimbreantes puentes, por naves de velas púrpuras e inflamadas como rosas gigantescas, por sólidas escolleras que imponentes partirían del castillo –pues era un castillo, por encima de todo, lo que debía levantar en el centro de la gran explanada, una sólida y magistral mole de torres y poternas, era lo que dominando todo el conjunto debía construir para que el exquisito hiciese su llegada, de eso había tenido ya señales evidentes–, y ahora desplegaba las puertas de palenque junto a monumentales barbacanas, y ya multiplicaba las torres flanqueantes, aumentaba la altura de las albarranas, prolongaba salones y atalayas, esparcía canecillos, parapetos, saeteras y agujas de homenajes; encaramado en la rampa almenada dispuso la configuración de dos troneras, asomándose por un ojo de buey duplicó el número de los hastiales, desde las murallas, erguido sobre un parapeto, hacía cambiar de color las aguas de los profundos fosos, modificaba la orfebrería de los limpiabarros, ennegrecía curañas... seguía construyendo, disponiendo habitaciones, cornisas imperiales, escaleras donde la huella y la contrahuella se diferenciaban por la acumulación de centenares de estilos, cúpulas, torres, atriles, butacas de cuero, salidizos dónde ondeaban banderas, cómodas con cinceladuras de bronce, tejadillos, aleros, buhardas y arcadas, colgadizos y pasamanos; se trepó a la cúpula mayor para poner en lo más alto la veleta que indicase la ruta de los vientos; ahora construía grandes recibidores flotantes, salones aledaños a las aguas, habitaciones donde para abrir una puerta se solicitaba el concurso de varios ejércitos; creó también recintos insospechables decorados con flores mágicas que se transformaban en instrumentos de goce, creó cielos artificiales, un teatro de aterciopelada y recelosa acústica donde la agonía de una mosca (si se le hubiese ocurrido crear tal insecto) hubiese desencadenado sucesivas resonancias, y en él puso a una clavicembalista que al hundir sus manos provocaba inmortales melodías que desplegaban cortinajes mientras él, Arturo, hacía su entrada en todos los salones, ah, la música, otra vez, otra vez, las estancias de la música, el vaivén de la música, otra vez, otra vez, la cadencia de la música, el encanto, el hechizo, el diluvio de la música; la misma música que había escuchado la noche de la "recogida" en el teatro, la misma que había escuchado en el barracón momentos antes que *él*, el divino, se le apareciese, lo conminaba, lo precisaba, lo impelía a que siguiese su magnífica construcción, llevándolo hacia una perfección, hacia una culminación absoluta, imposible de repetir... bibliotecas, grutas, conchas, balanzas, pasadizos secretos, batutas y brocales, faetones, camafeos y un barco ondulando su abultada y fabulosa silueta sobre un mar de espejos que se comunicaba con la ciudadela por un canal amarillo surcado de labradas compuertas; jarrones, flores, perfumes, telas desplegándose, ustorios, jacintos, turquesas, ónix, ópalos, calcedonias, jades, hematitas, joyas, joyas, joyas insospechables, alhahajas, todas las alhajas del mundo, las más lujosas, las más costosas y disímiles, las más exclusivas e irrepetibles, joyas, joyas, y hasta una diamantista encerrada en una bóveda de cristal de luna encargada solamente de pulir pedrerías nupciales... pero se detuvo: aún faltaban maravillas: arenas, orquídeas, oquedades y Patroclos; era el delirio de la construcción, el hechizo, el goce de la creación, era el poder de hacerlo todo, el poder de participar en todo, el poder de poder zafarse de pronto de la mezquina tradición, de la mezquina maldición, de la miseria de siempre, el rompimiento con esa figura tenebrosa, encorvada, pobre, asustada y esclavizada que había sido él (que son ellos, los otros, los demás, todos) y ahora, libre, Dios, crear el universo añorado, su universo... a veces levantaba de golpe una iglesia imponente tan sólo por el goce de crear innumerables triforios; a veces su entusiasmo era tanto que no se preocupaba por coherencia alguna y terminaba colocando una mata de cerezas sobre un reloj de sobremesa, una bailarina camboyana sobre un cocotero, sobre un bargueño gótico una grulla de Manchuria, sobre la alta veleta un aterido lofororo que alucinado se lanzaba a cualquier sitio, y hasta un tapir reflejaba su insólita configuración de remaches aherrojados en el esmalte de un inmenso salón adoquinado con mosaicos mudéjares; tejadillos, ojos de buey, Jupíteres y lampadarios, tapices, tartanas y sillas de posta, todo era creado y multiplicado, toda la riqueza, todo lo exótico, todo lo atrayente, toda la hermosura de la tierra era sin duda necesaria para que *él*, el exquisito, hiciese su aparición; junto a los parques, en los grandes jardines, bajo las estatuas trabajadas con minucioso talento: figuras sosegadas paseándose entre mármoles hasta el fin de los días, relicarios abandonados sobre un reloj de sol, breviarios en recodos de ermitas que nadie visitará, pequeñas aves labradas atadas a robles en perenne floración, hojas, vericuetos tapizados por raices aéreas, la torrecilla del observatorio emergiendo sobre una tropilla de palmeras discretamente curvadas, varandales y las pequeñas piedras junto al pluviómetro, y más allá, entre el verde de los bambúes, en el interior del verde, la humedad reventado semillas, los grandes nidos colgantes, el esplendor de lo negro sucumbiendo ante cocuyos y la brillantez de los ratones, el bosque, el bosque, el cuerno, la trompa de caza, los grandes sonidos, los imperiales, sosegados, sonoros estruendos y las típicas –lujosas– mañanas apacibles, el bosque, el bosque, ostentando la alucinante gama cromática de un océano, también arrullando, también meciéndolo, el bosque, el bosque, las pequeñas fieras, los grandes insectos, las imperturbables bestias flotantes y el reflejo del universo en la gota guarecida sobre el envés de una hoja de malanga, universo donde no había leyes de ocasión, mezquinas y cambiantes, sino las inalterables, divinas leyes amparadas por la intuición y el ritmo –el rigor de las lluvias, la armonía y el equilibrio de las esferas– que nada tienen que ver con la histérica, cambiante, ciega y sucia trayectoria de esa figura tenebrosa, encorvada, pobre, asustada y esclavizada que había sido él (que son ellos, los otros, los demás, todos)... la tierra, penetrable y saturada dando testimonios de un legendario cosquilleo, soltando una exhalación, un rumor, un efluvio, la tierra, la tierra, y allí, en un claro, muy cerca de las aguas, entre lianas y bejucos, un jazmín, una tela, un velo, una virgen en el éxtasis sin tiempo de una danza consagrada a una flor, era él, era él, era Arturo que bailaba, era él que aguardaba danzando, danzando allí, en el centro del bosque, entre el rayo de luz que filtrándose produce y provoca un tenue temblor... ¿quién corre?, son los inmensos cortinajes de las ramas que abanican el aire para que sepas que ellos también esperan su llegada, ¿quién produce ese rumor?, son las innumerables hojas, las innumerables ramas, los duendes del aire, los dioses del viento que también, agitándose, esperan, ¿quién provoca ese incesante, ascendente tamborileo?, son las criaturas mínimas, grillos, gusanos, hormigas, pequeñas bestias de la tierra que no quieren quedarse atrás y vienen a verlo, ¿qué suena así, tan increíble más allá de las piedras? son las aguas las verdes aguas, las perfumadas, las ceremoniosas, las gloriosas aguas que se abren para que *él* las penetre, para que tú y *él* se encuentren y finalmente les otorguen su verdadra definción... y Arturo oyó aquel rumor creciente, aquel ritmo, el suave trepidar de todos los seres, y hasta las cosas, que de algún modo se comunicaban con él y le anunciaban, entusiasmadas, que *él*, el divino, venía, se acercaba; y en su inmensa alegría, Arturo sintió lástima por aquellos otros árboles, los que él no había creado, para los que aguardaba el hacha, y se conmovió ante el desarraigo de las botellas flotantes, y los periódicos abandonados y la brizna de paja que el viento... pero, ¿no era ya la hora de entrar en el castillo?, ¿no estaba ya todo maravillosamente edificado?, ¿no había ríos, bosques, lagos, mares, incesantes cielos y suntuosos pabellones?, ¿no estaba ya todo perfectamente equilibrado?, sólo la gran habitación nupcial, el lecho, la divina alcoba, faltaba aún; y ahora, de un salto se traslada al castillo, atraviesa la rampa almenada y se sitúa ya en las estancias residenciales, allí eligió una gran habitación en la que había un ángulo dominando toda la región y prolongándose hasta un balcón volado; Arturo colocó un lecho con cortinas, una alfombra, una mesa con un vaso de flores, dos candelabros, el ventanal cruzado por balaustres entretejidos sobre el que ondeaban finísimos lienzos velados y tenues sobrecielos que los protegerían del sol en los días de excesiva claridad; Arturo ordenó también que algunas flores se enroscasen graciosamente en los balaustres y entró en la habitación; dos sillones, también, quizás, eran necesarios dos sillones; Arturo se paseó por el cuarto, de todas su creaciones, era este recinto amplio, apenas amueblado, lleno de ventilación y de calma, lo que más le sorprendía, le cautivaba y le inquietaba, ¿acaso faltaba aùn algo?... Arturo comenzó de pronto a sentir que flotaba, que ya no era necesario apoyar los pies en el suelo para deslizarse, así estuvo por un rato, alerta y maravillado, fluyendo, oscilando, girando entre aquella claridad no desgarradora, no desgarradora, finalmente descendió y se acostó; así contempló las diversas combinaciones de colores que se desarrollaban y deshacían bajo el ventanal; Arturo cerró los ojos y pensó que aquella habitación era lo mejor de toda su obra, pero sin embargo también sentía la extrañeza, la ligera impresión, de que algo faltaba para que el elegido pudiese al fin hacer su llegada; volvió a meditar mientras descansaba su mirada sobre el gran espectáculo que se desarrollaba en el exterior... quizás lo que realmente necesitaba no era otro mueble para la habitación, sino una nave de vidrios y estruendos en la cual, si uno quisiese –si él y *él*– quisiesen algún día podrían también abandonar aquel lugar.. y también, otro sitio, otro sitio encantado a donde llegar, un paraje traspasado por rayos violetas, dorados, rojos, cables y combinaciones ignoradas hasta por ellos mismos, páramos y lunas enloquecidas, bárbaras, lívidas, y lejanas dorando alimañas de heráldicas y pulidas configuraciones, cuántos cielos, cuántos pasadizos secretos para deslizarse, si uno quisiera, hasta el fin del mundo... pero allá, ¿no debía haber otro tipo de árboles?, árboles que, en puntillas, supiesen trasladarse, rápido, de uno a otro sitio; sentía tanta piedad por las cosas fijas, a la intemperie, al peligro... ¿pero no debía haber también un mar de espumas, sólo de espumas donde uno, él y *él*, al zambullirse tocasen sólo burbujas?... y los árboles irrumpieron con una constante trepidación de tierra removida, y el mar fue creado, pero *él* no llegaba para, tomados de la mano, lanzarse a la espuma... pero, quizás lo que realmente hacía falta no era un mar de espumas, sino un largo tendalero lleno de telas crujientes, telas pulcras, blancas, frágiles, almidonadas, donde poder los dos revolcarse, límpidas telas como las sayuelas de su madre donde él colocaba, así, la cabeza y sentía el calor de sus muslos... telas pulcras, blancas, frágiles, trepidantes, olorosas a jabón, recién lavadas, recién secas, flotando al sol, como aquéllas... oh, ángeles, ángeles, ¿no debía haber también ángeles?, ¿no serían ángeles precisamente, lo que reclamaba el amado?, un coro de ángeles, un resplandeciente coro de ángeles que lo anunciase, escuadrones de ángeles, ángeles alados y rubios que agradecidos por –al fin– habérseles otorgado su real existencia dieran testimonio de el que llegaba... pero, ¿y aquél sonido? ¿aquella música, aquel estruendo de metales con resonancias de arpas, tambores, violines, flautas y clarinetes, aquel redoble, aquel himno, no eran ellos, los ángeles que ya anunciaban (¡aquellas trompetas, aquellas trompetas!) que el elegido, el anhelado, el divino, hacía ya su llegada, estaba al fin allí, acompañado por el coro –el aleluya– de los ángeles, esperando que Arturo saliese del castillo para que le verificase con su mirada de amante su existencia?, era *él*, el hasta entonces inapresable, el exclusivo de sus sueños, el que desnudo y jovial se le había aparecido conminándolo a que construyese aquella maravilla, aquel castillo imponente, era *él*, el dios, su dios, que ahora, radiante y satisfecho llegaba; no tenía pues que esperar más, la gran edificación estaba lista, las grandes banderas flameaban desde los salidizos y el coro de ángeles (el último requisito) también descendía para hacer la presentación... sonaban ya los himnos, las cornetas, el gong de la tierra y del cielo, se oía, ya de cerca, el estruendo de los metales, llegaban, llegaban, trayendo el resplandeciente tesoro... Arturo atravesó las galerías residenciales, los pasillos volados, el patio real, las torres flanqueantes, y, de un salto, tomando impulso desde una poterna, cayó sobre las puertas del palenque, cruzó la rampa almenada, e, ignorando los puentes levadizos, voló sobre los fosos... allí estaban, allí estaban ya los integrantes del escuadrón, venían hacia él empapados de sudor, agitados y rabiosos, habían corrido por más de cuatro horas buscando a aquel maricón desertor, pero ahí estaba al fin, y he aquí que el muy cretino venía corriendo hacia ellos, ahora, pensaba el subteniente, ahogado por la furia y el calor, ahora que te ves acorralado (perdido) en medio de estas sabanas vienes hacia nosotros, hijo de la gran puta, y levantaba el arma apuntando hacia Arturo, lamentándose de no verlo correr en dirección opuesta para, justificadamente, poder disparar, y, sin lograr dominarse, gritó: ¡maricón, deja que te coja que te voy a poner el culo como una pomarrosa, aquí te haces hombre o te jodes!... fue entonces cuando la gran música, el canto coral de los ángeles, se apagó y Arturo se vio corriendo hacia una tropa de soldados que, arma al pecho avanzaban también hacia él; por un momento se quedó paralizado, las notas del gran himno aún en el recuerdo, pero esto fue sólo por unos segundos, enseguida, cuando miró atentamente a la comitiva armada descubrió con irrebatible claridad que quien la encabezaba no era uno de los tantos tenientes o subtenientes del campamento, iguales todos –sumisos con los jefes y arrogantes con los presos–, sino su madre, La Vieja Rosa, enfurecida y vestida de militar, quien, escopeta en mano, le gritaba *maricón, ahora sí que no te me vas a escapar*; aullando, Arturo retrocedió y echó a correr en sentido opuesto, derrumbando pilastras, estatuas y canteros; cuando ya había traspasado los fosos del castillo y corría más allá del mirador real se detuvo y miró hacia atrás; otra vez divisó a La Vieja Rosa, arma en mano y vestida de hombre, y entre los anónimos y obedientes soldados de rostros impenetrables vio también al divino muchacho para quien había construido aquel castillo, radiante dentro del uniforme ceñido, también enarbolando el arma y aputándole... *¡maricón!*, retumbó una voz militar y varonil – quizás la del divino joven– *tres veces te hemos dado el alto, párate ahora mismo o hacemos fuego!*; pero Arturo, girando rápidamente, se lanzó hacia el horizonte, destruyendo arbolarios, kioscos y parasoles, invernaderos, camafeos, aljibes y hasta el solitario pluviómetro sobre el cual el desconcertado lofororo, que allí se había posado, miraba avanzar la tropa... cuando los atinados disparos lo fulminaron, Arturo alcanzaba ya la línea monumental de los elefantes regios.

La Habana, 1971.

NOTAS

La dedicatoria: A Nelson, en el aire, significa a mi amigo Nelson Rodríguez Leyva, autor de libro de cuentos El regalo, Ediciones R., 1964. En 1965, Nelson fue internado en uno de los campos de concentración para homosexuales –en la provincia de Camagüey–, estos campos eran conocidos oficialmente con el nombre de UMAP *(Unidad Militar de Ayuda a la Producción). Luego de tres años en el campo de trabajo forzado, Nelson obtuvo la baja por "enfermedad mental". Desesperado, en 1971, intentó, provisto de una granada de mano, desviar de su ruta a un avión de Cubana de Aviación, rumbo a la Florida. Reducido y en trance de ser asesinado por las escoltas militares del avión, Nelson tiró la granada que hizo explosión. El aparato aterrizó en el aeropuerto "José Martí", en La Habana. Nelson Rodríguez y su amigo y acompañante, el poeta Angel López Rabi –de 16 años de edad– fueron fusilados.*

Nelson dejó inédito un libro de relatos sobre su experiencia en el campo de concentración. Este libro, al parecer, ha desapareci-

do a mano de las autoridades cubanas. Algunas universidades de los Estados Unidos tienen ejemplares de El regalo, un hermoso libro juvenil.

Una tercera persona, el escritor Jesús Castro Villalonga, quien no iba en el avión pero conocía el plan, fue condenado a treinta años de prisión, condena que aún cumple en la prisión de La Cabaña, en La Habana.

Pienso en ese momento en que, granada en mano, sobrevolando la Isla con sus campos de trabajo y sus cárceles, Nelson se sintió libre, en el aire, quizás por única vez durante toda su vida. De ahí la dedicatoria del libro.

En cuanto a los originales de este relato, escrito en La Habana en 1971, pueden ser consultados en la biblioteca de la Universidad de Princenton, New Jersey.